Une famille treize étrange

Fanny Joly

est née en 1954 à Paris, où elle vit avec son mari et ses trois enfants. Elle écrit un peu pour la publicité... Beaucoup pour le théâtre (notamment les sketches de sa sœur Sylvie Joly)... Et passionnément pour les enfants. Elle a publié plus de cinquante livres chez Bayard Éditions, Hachette, Nathan, Rageot, Kid Pocket, Casterman.

Nicolas De Hirsching

est né à Buenos Aires en 1956. Il arrive en France à l'âge de sept ans. Il choisit le métier d'instituteur. Parallèlement il écrit des contes et des livres pour enfants, et ses élèves sont souvent son premier public.

Manu Boisteau

a fait ses premières armes dans le domaine de la presse pour enfants : le jour, il travaillait comme maquettiste, et la nuit comme illustrateur ! Ce qu'il aime dessiner par-dessus tout, ce sont les robots et les monstres. Il a notamment créé deux univers loufoques avec son ami Paul Martin : Maudit Manoir (Bayard) et James Bonk (Éditions Cornélius).

Une famille treize étrange

Une histoire écrite par Fanny Joly
et Nicolas de Hirsching
illustrée par Manu Boisteau

BAYARD POCHE

1
Une lettre treize audacieuse

Au treizième étage de l'immeuble situé au n° 13 de la rue du Rat-qui-tremble, il y a un monsieur normal, avec des lunettes normales sur le nez, des chaussettes et des chaussures normales aux pieds. Il est assis sur un fauteuil normal, tout ça dans un appartement normal.

Du moins, c'est ce qu'on pourrait croire...

En s'approchant de plus près, on sentirait une forte odeur de pipi de chat (trente et un matous habitent les lieux, est-ce bien normal ?!), et on découvrirait aussi que le monsieur tient une lettre entre ses mains.

La lettre est arrivée le matin même, par le courrier normal, dans une enveloppe normale. Le monsieur l'a ouverte. Quoi de plus normal ? Il l'a lue, relue, puis relue encore... treize fois au moins, en se tortillant les moustaches. Ce monsieur, en effet, a l'habitude de se tortiller les moustaches quand quelque chose lui cause du souci (c'est tout ce qui lui reste à tortiller depuis que ses cheveux sont tombés, le laissant chauve comme un genou, aux alentours de sa trentième année, il y a de cela une trentaine d'années)...

Mais ce geste même est presque normal, ou du moins banal... Ce qui est moins banal, c'est le contenu de la lettre.

Le voici :

Une lettre treize audacieuse

Monsieur,

Cela fait un bon moment que je vous observe. J'ai bien remarqué que vous vous déguisez la plupart du temps pour sortir dans la rue, mais je vous ai quand même reconnu parce que j'ai vu un portrait de vous quand j'étais petite et je n'ai jamais oublié votre drôle de figure. Dites-moi la vérité : n'est-ce pas que vous êtes le professeur Helmut Globule, l'auteur du livre « LES FORMULES DU PROFESSEUR GLOBULE » ? Ce livre, je l'adorais. Je le lisais chez mon oncle Albert avant même de savoir lire, et déjà c'était mon livre préféré ! Alors, quand j'ai su déchiffrer et que j'ai découvert son contenu, imaginez mon enthousiasme : du délire ! J'en apprenais même certains passages par cœur ! L'exemplaire était tout rafistolé et recouvert de papier marron plein de taches de gras, mais ça ne m'empêchait pas de m'y plonger dès que mon oncle avait le dos tourné. Devant lui, j'évitais :

*il me l'avait défendu, vu que le livre était formelle-
ment interdit aux moins de dix ans, c'est ce qu'il
avait marqué dessus, à la main et à l'encre vio-
lette, au beau milieu de la première page, je m'en
souviens encore. J'attendais donc avec impatience
mon dixième anniversaire, et paf! voilà que tonton
Albert meurt l'an passé, pile le jour de mes dix ans.
Quel affreux cadeau ! Et, comble de désespoir,
quelqu'un (un sacré nul, entre parenthèses) a jeté
ou brûlé, ou volé, ou vendu tous ses livres, je ne
sais pas. En tout cas, impossible de remettre la
main sur vos FORMULES. Aucun libraire n'a pu
m'en vendre un seul exemplaire... Il est introu-
vable, votre sacré bouquin ! À se demander s'il a
vraiment existé, vu que personne n'en a jamais
entendu parler. Or, j'ai un problème urgent, grave
et pressant. Je ne me rappelle plus très bien la
formule « Mémé vole ». C'était la n° 27, je crois,
celle que vous donniez pour transformer les*

Une lettre treize audacieuse

grands-mères en chauves-souris. J'en ai absolument besoin, car ma mémé est pénible au possible, et, si je ne fais rien avant le 27 juin, je vais devoir partir en vacances avec elle, alors PITIÉ ! Vous avez sûrement un exemplaire de votre livre dans un coin, envoyez-le-moi vite, je vous en supplie ! Si vous n'avez plus le livre, recopiez-moi au moins la formule sur un bout de papier.

Mauïka Pibol

5, rue du Pré - 12365 Hurleville

P.-S. : Tant que vous y êtes, j'aimerais bien aussi la formule pour remplir les frigos, vu que mes parents n'ont jamais le temps de faire les courses comme il faut.

2
Maudit mot !

Deux jours plus tard, au 5 rue du Pré, le facteur tend une lettre à Mme Pibol, qui la tend à sa fille, qui ne la tend à personne, vu que c'est à elle-même, Marika Pibol, que cette lettre est destinée. Elle fonce dans sa chambre en déchirant l'enveloppe avec impatience, et elle sourit en lisant les premiers mots.

Maudit mot !

Ma chère petite Marika,
Avant toute chose, il faut que tu répètes trois fois la formule « GLOXIGRUDFTOK ». Vas-y, ma brave enfant, c'est indispensable ! Ça y est ? C'est fait ?
Eh bien, tu vas le regretter, espèce de sale chipie effrontée ! Car c'est ce que tu es. Et pour plusieurs raisons, en plus !
1) Tu lis les livres de ton oncle, alors qu'ils sont exclusivement réservés aux sorciers adultes et diplômés, comme l'était ton oncle regretté.
2) Tu as dû me suivre dans la rue pour connaître mon adresse. Or, je déteste que l'on me suive à mon insu, autrement dit sans que je m'en aper-çoive, cela m'irrite au plus haut point...
3) Jamais personne ne m'avait manqué de respect comme tu le fais dans ta lettre, moi le grand Helmut Globule, le maître, le roi, l'empereur des formules !

Une famille treize étrange

Alors, attends une petite heure, tu verras quel effet aura sur toi la formule que tu as eu l'imprudence de répéter trois fois. Tu regretteras de m'avoir écrit, et même de m'avoir connu ! Salutations courroucées.

Helmut Globule

Sorcier diplômé de niveau international
13, rue du Rat-qui-tremble - 12365 Hurleville

P.-S. : Ce n'est pas toi que je plains, mais ta pauvre grand-mère. Il se trouve que, par un hasard et un bonheur extraordinaires, je la connais. J'avoue que je ne la croyais pas lorsqu'elle me racontait ses malheurs avec toi, mais maintenant je comprends mieux. Et j'admire le courage de cette femme qui est prête à te supporter pendant les vacances !

3
Marika prend un coup de vieux

Quand elle termine la lecture de la lettre d'Helmut Globule, Marika ne sourit plus. Elle est même carrément inquiète. Que va-t-il lui arriver ? De légers tremblements agitent ses mains. Serait-ce déjà l'effet de la formule qu'elle a répétée ? Ou est-ce juste la peur qui l'envahit de la racine des cheveux

à la pointe des doigts de pieds ? Vite, elle essaie de se distraire en pensant à des choses agréables : de chouettes vacances avec plein de soleil, plein de copains, plein de glaces à plein de parfums différents, et pas de mémé à l'horizon... Ça marche ! Son cœur cesse de battre à trois cents kilomètres à l'heure. Les minutes défilent lentement. Rien ne se passe...

« Ouf ! Si ça se trouve, c'est du bidon, sa formule, se dit Marika pour se rassurer. Il a juste essayé de me faire peur. Eh bien, c'est raté ! »

À cet instant, la voix de Mme Pibol retentit depuis la cuisine.

– MARIKA ! VIENS VOIR LE FRIGO !

Marika descend l'escalier. Et là, soudain, que découvre-t-elle, dans le miroir qui lui fait face ? Dolorès Catagratino, une horrible vieille amie de mémé ! Avec son vieux chignon, ses vieilles joues ridées, sa vieille robe à fleurs et son vieux sac à main.

Marika prend un coup de vieux

Marika s'approche du miroir. L'image de Dolorès aussi. Marika se pince.

– Aïe ! crie l'image de Dolorès dans le miroir en se frottant le même bras que Marika.

Une famille treize étrange

– Mais… c'est pas possible !

Marika est désespérée. C'était donc ça, le sort de ce satané sorcier : la voilà transformée en Dolorès Catagratino ! Que pouvait-il lui arriver de pire ? C'est atroce ! C'est abominable ! Marika-Dolorès retourne en vitesse dans sa chambre et s'enferme à double tour. « Il faut vite que je trouve une solution ! se répète-t-elle. Si mes parents me voient comme ça, je suis fichue ! »

En effet : impossible de leur parler du professeur Globule. S'ils apprennent qu'elle communique avec un sorcier, ils vont la réduire en purée. Ils détestent tout ce qui touche à la sorcellerie. C'est tabou dans la famille. Dès qu'on aborde le sujet, tout le monde se dispute avec tout le monde. Le père de Marika avec sa femme, la mère de Marika avec mémé Thérèse, autrement dit la mère du père de Marika, et même mémé Thérèse avec l'oncle Albert, autrement dit le frère du père de

Marika prend un coup de vieux

Marika. Ça, c'était du temps où le pauvre homme était encore de ce monde, bien entendu...

La jeune fille se concentre de toutes ses forces, fouillant sa mémoire comme une armoire à mille tiroirs. Elle ferme les yeux, se tire le lobe de l'oreille gauche. (Marika, en effet, a l'habitude de se tirer le lobe de l'oreille gauche quand elle mobilise ses neurones. D'autres se tortillent les moustaches, chacun sa technique...) Les formules commençaient par...

– Marika ! Viens ici tout de suite ! s'impatiente Mme Pibol, dans la cuisine.

Une famille treize étrange

Marika fait comme si elle n'entendait pas. Donc, les formules commençaient par « GLO », ça, elle s'en souvient parfaitement. Et elles comportaient...

Des pas martèlent l'escalier.

– Marika, tu te moques de nous ? Qu'est-ce que tu fabriques ?

Cette fois, c'est la voix de Raoul Pibol, le père de Marika.

Et pas seulement sa voix : il frappe à la porte de la chambre, et le moins qu'on puisse dire est qu'il n'a pas l'air content !

– Je... je fais... je termine un... des... exercices de mathématiques, improvise Marika d'un ton mal assuré.

– Et nous, on t'attend depuis TREIZE minutes exactement, treize, tu entends, pas une de moins ! gronde Raoul Pibol. On n'a pas que ça à faire ! Et pourquoi t'enfermes-tu à clé, d'abord ?

Marika prend un coup de vieux

TREIZE lettres ! Les formules du professeur Globule comportaient toujours TREIZE lettres, son nombre fétiche ! Sans le faire exprès, le père de Marika vient d'aider sa fille à se remémorer ce détail crucial.

– Ouvre im-mé-dia-te-ment ! tempête le père de famille à la porte.

– Treize ! bredouille Marika. Non, je veux dire, treize très vite... Euh... J'arrive treize... euh... dans treize toutes petites secondes... Je suis en train de me faire une supercoiffure pour... pour... pour vous faire plaisir ! Je... j'ai presque fini... Mais pas encore tout à fait... Va-t'en, papa ! C'est... une surprise !

Vite, vite... Une des formules s'appelait « Retour à l'expéditeur », Marika revoit ces mots imprimés sur le livre. Comment ça faisait, déjà ? Elle prend un crayon, griffonne des bribes de syllabes en bas de la lettre du professeur Globule...

Une famille treize étrange

Glodr... Glopf... Glomz... Glokr ? Elle hésite, écrit, rature, hésite, écrit à nouveau... Puis récite d'une voix chevrotante :

4
ABrachatDaBra !

Soudain, Marika se sent redevenir toute légère. Elle ouvre les yeux, regarde ses mains et murmure triomphalement :

– Yeeeeeeesss !

Ses mains, en effet, ne sont plus osseuses, ni ridées, ni parsemées de taches brunes de vieillesse, mais rondes et potelées, couvertes de taches bleues d'encre de stylo, tout ce qu'il y a de plus classique pour une future élève de 6ᵉ. La fillette fait quelques pas jusqu'à son armoire à glace. Pas de doute. L'image que le miroir lui renvoie est bien la sienne : Marika Pibol, avec ses jolies taches de rousseur, ses couettes, son nez retroussé, ses yeux verts, sa...

– Marikaaaaaaa ! À trois, j'enfonce la porte ! hurle Papa Pibol sur le palier.

À la vitesse de l'éclair, Marika rajuste ses vête-ments, qui ont été quelque peu chamboulés par les événements, plie la lettre du sorcier, la glisse dans la poche de son pantalon et ouvre.

À peine entré, M. Pibol saisit sa fille par les épaules et la pousse en direction de la cuisine.

– C'est ça, ta coiffure ? glapit-il. Tu l'as trouvée dans un catalogue de farces et attrapes ? Ta mère et moi, surtout ta mère, on aimerait que tu nous expliques ce que tu trafiques... Et en particulier : CECI !

ABraChatDaBra !

Mme Pibol se tient près du réfrigérateur ouvert, réfrigérateur qui, pour une fois, est rempli à ras bord.

– C'est toi qui as acheté tout ça ?

Nom d'un chien, ou plutôt d'un chat ! Le frigo est entièrement rempli de maxi-boîtes de pâtée pour minous, de la marque Glocatminux, de l'étagère du haut jusqu'aux bacs à légumes.

Une famille treize étrange

– QUI a mis ces cochonneries dans mon grifo... pardon, dans mon frigo ? Il y en a treize, euh... non... trente et une, je les ai comptées ! éructe Mme Pibol, furibarde. (La mère de Marika, en effet, est allergique aux poils de chats, et plus généralement à tous les poils de tous les animaux qui ont des poils. Elle ne les supporte pas, pas même en photo. Alors, imaginez l'effet que produisent sur cette pauvre femme les trente et un chats représentés sur les boîtes de Glocatminux.)

Marika ne sait que répondre. Comment, là aussi, expliquer à ses parents que le professeur Globule doit y être pour quelque chose ? Et que ces boîtes font partie de sa vengeance ? Marika se sent vraiment mal.

– Miaou..., miaule-t-elle soudain, malgré elle, comme si un chat, brutalement, s'exprimait à travers son gosier.

– Comment ? rugit Mme Pibol.

ABraChatDaBra !

– Non, je veux dire... Ça doit être... Le livreur de chez Cash-Market qui a fait une erreur, non ? parvient-elle à se reprendre.

Les yeux de Mme Pibol ne sont plus que des fentes. Encore un millimètre, et elle se retrouvera dans le noir complet. Elle observe longuement sa fille, comme si elle voulait lire dans ses pensées.

– Ça, ça ressemble à de la sorcellerie, susurre-t-elle, ou je ne m'y connais pas...

La bouche pincée, elle fixe son mari, qui secoue les mains, comme pour se disculper.

– J'y suis pour rien, bibiche, murmure-t-il, juré, craché !

C'est alors que la sonnette d'entrée retentit. « Sauvée par le gong ! » pense Marika.

Mais son soulagement est de courte durée. Car, du bout du couloir, elle entend sa mère s'exclamer, après avoir ouvert la porte :

– Dolorès ? Ça alors ! Que venez-vous faire ici ?

5
Envolée, la mémé !

Quelle histoire ! C'est bien Dolorès, la vraie vieille Dolorès Catagratino en personne, qui vient de pénétrer dans l'entrée de la maison des Pibol. Et dans quel état !

– Vous avez des nouvelles de Thérèse ? demande-t-elle d'une voix affolée. Elle m'a envoyé une lettre insensée avec quelque chose pour vous, tenez... ce paquet !

En disant ces mots, Dolorès sort de son vieux sac à main un cadeau emballé dans du papier doré.

– Qu'est-ce que ta mère a bien pu encore inventer ? soupire Mme Pibol en levant les yeux au ciel, tandis que son mari s'escrime sur la ficelle qui entoure le paquet.

– Oh ! s'écrie Marika lorsque son père réussit enfin à ouvrir la boîte. Une chauve-souris !

Envolée, la mémé !

– Quoi ? Elle n'est pas vivante, au moins ? s'alarme aussitôt Bernadette Pibol en faisant un bond en arrière. (Les chauves-souris ont des poils, ne l'oublions pas...)

– Non, non ! Elle est morte et empaillée, précise Dolorès.

– Comment vous le savez, d'abord ? s'étonne Mme Pibol.

– Je... je le vois, comme vous ! explique la vieille dame.

Une famille treize étrange

– Je ne vois rien, et je ne veux surtout rien voir ! s'empresse de déclarer la mère de Marika.

– Quelle drôle d'idée a eue maman de nous envoyer cet animal ! observe M. Pibol en refermant le couvercle.

– C'est sans doute un souvenir de vacances. Tenez, lisez ! ajoute Dolorès d'un air pincé en tendant à M. Pibol une lettre ainsi rédigée :

Ma chère vieille Dolorès,
Il m'arrive quelque chose d'extraordinaire. J'ai rencontré l'homme de ma vie ! C'est un grand spécialiste des chiroptères (mammifères volants). Je pars avec lui sur l'île de Pipistrelli, où l'on trouve, paraît-il, les plus remarquables chauves-souris de la planète. J'espère que tu es heureuse pour moi. En tout cas, moi, je le suis pour deux, et même plus que ça...
Ton affectionnée,

Thérèse Pibol

Envolée, la mémé !

P.-S. : Ah oui, au fait, je devais emmener ma petite-fille Marika en vacances le 27 juin, peux-tu t'en charger ? C'est une enfant mignonne, mais agitée. Apprends-lui le point de croix, fais-lui faire des dictées ou entraîne-la au kung-fu. Tout ça la calmera (peut-être).

— C'est quoi encore, cette embrouille ? explose la mère de Marika. Ta mère cessera-t-elle un jour de jouer avec nos nerfs, Raoul ? Au dernier moment, elle nous fait faux bond et refuse d'emmener notre fille en vacances, sans même nous en parler ? C'est une honte !

— Calme-toi, bibiche, murmure M. Pibol à son épouse. Maman ne peut pas emmener Marika en vacances puisqu'elle est déjà partie sur cette île, là, de... Pipistruc ! Son départ a dû être précipité, et elle n'a pas eu le temps de nous prévenir. Tu sais qu'elle prend des décisions parfois... un peu rapidement, ajoute-t-il comme pour excuser sa mère.

Une famille treize étrange

– Votre mari a raison, madame, renchérit Dolorès.

Marika ne sait quoi penser. D'un côté, elle est soulagée d'échapper aux vacances avec mémé. D'un autre côté, partir avec Dolorès... Mais, déjà, la vieille dame lui caresse la tête et roucoule d'une voix mielleuse :

– Au nom de ma très ancienne amitié avec madame Thérèse, je suis prête à emmener votre fillette en vacances, même si cela contrarie mes plans, je ne vous le cache pas... Bref, j'ai une charmante maisonnette à la campagne, au bord d'une rivière. Nous cueillerons des fleurs,

Envolée, la mémé !

nous pêcherons des poissons. Si Marika est bien gentille, je lui apprendrai à faire des bulles de savon. Et nous pourrons aussi jouer au rami. Mais, attention, je pars dans une heure, et mon tarif est de 10 euros 79 centimes la journée !

M. et Mme Pibol sont tentés par la proposition de Dolorès. Fabricants de cornets à glace, ils sont accablés de travail en ce début d'été caniculaire et n'ont guère le temps de s'occuper de leur fille...

– Le prix est raisonnable... Et on n'a pas trop le choix ! glisse Raoul à l'oreille de son épouse.

Puis il se tourne vers sa fille :

– Alors, ma choute, tu as envie de partir avec Dolorès ?

Marika hésite.

– Mmmouais... éventuellement..., répond-elle. Mais, déjà, il faudrait qu'elle arrête de me parler comme si j'avais quatre ans, OK ? Et puis... je pourrai me faire des copains de mon âge, là-bas ?

– Sûrement ! Il y a une base de loisirs à cent mètres de la maison ! affirme la vieille dame.

– Voilà, tranche Raoul Pibol avec un sourire appuyé. Tu vois, tout est bien qui finit bien ! Tu vas beaucoup t'amuser, ma chérie ! Et maintenant, les valises !

Dolorès suit Mme Pibol tandis que celle-ci fouille dans les placards à la recherche d'une valise à roulettes.

– Vous n'étiez pas au courant de l'histoire d'amour de votre belle-mère ? glisse-t-elle discrètement à la mère de Marika.

– Pas le moins du monde ! répond celle-ci. Ma belle-mère ne me raconte pas sa vie. Et c'est tant mieux. Je n'y tiens pas. Moi-même, j'évite autant que possible de lui raconter la mienne...

– Ah bon ? s'étonne Dolorès, qui n'a jamais eu de mari et, par conséquent, ignore tout des relations entre belles-mères et belles-filles.

Envolée, la mémé !

Un quart d'heure plus tard, Marika et Dolorès se retrouvent sur le trottoir. La jeune fille tire sa valise à roulettes. La vieille dame hèle un taxi et tend un carton au chauffeur :

— Conduisez-nous à cette adresse ! ordonne-t-elle. Et en vitesse !

— Où on va ? demande Marika.

— Tu verras bien ! réplique Dolorès d'un ton... sans réplique.

6
Et Chat Continue

« Dans quelle galère suis-je embarquée ? Si ça se trouve, Dolorès est pire que mémé ! » s'inquiète Marika tandis que le taxi roule à vive allure à travers les rues de Hurleville.

Elle n'a pas le temps de réfléchir bien longtemps. Dix minutes plus tard à peine, le chauffeur s'arrête devant un immeuble.

– Vous... avez oublié quelque chose ? hasarde Marika.

– Allez, descends ! ordonne Dolorès.

– Mais... on n'est pas à la campagne ! s'étonne la jeune fille.

Et Chat Continue

– Rraaahhh ! T'as pas fini avec tes questions à la noix ? s'impatiente la vieille dame, de moins en moins aimable.

En descendant de voiture, Marika se tire le lobe de l'oreille gauche : il lui semble bien reconnaître cet endroit...

Lorsqu'elle voit la plaque au-dessus de la porte, elle a un choc : n° 13. Et cette

rue... C'est celle du professeur Globule ! Mais, déjà, Dolorès la saisit au collet et la traîne dans l'ascenseur en grognant :

– À nous deux, mademoiselle Pibol ! Premier, cinquième, onzième étage...

Une famille treize étrange

Marika sent ses jambes flageoler au fur et à mesure que l'ascenseur monte. Au treizième, il s'arrête. Dolorès pousse la fillette en avant, ouvre une porte, puis la referme bien vite, à double tour. Une odeur infecte, suffocante, saisit Marika à la gorge.

– Miaaaaou...

Un chat gris vient de se glisser entre ses pieds.

– Cssss... Fffft...

Deux autres, un blanc et un noir, surgissent de derrière un rideau.

– Rrrrrr...

Une colonie de chatons aux poils hérissés se chamaillent sur le canapé du salon. Marika regarde à gauche, à droite : l'appartement est envahi par des chats. Des blancs, des noirs, des roux, des gris, des rayés et des unis, des siamois et des angoras...

– Alors, maintenant, tu vas m'expliquer ! Qu'est-ce qui t'a pris de vouloir transformer ta grand-mère en chauve-souris, espèce de sorcière à couettes ! lui lance Dolorès en chassant les chatons du canapé avant de s'y laisser tomber de tout son poids. Tu vois le joli travail que tu as fait ?

– Mais... je... je..., bafouille Marika. Je n'ai rien fait ! Je ne suis pas une sorcière, madame !

– Mademoiselle ! corrige sèchement Dolorès. Je ne suis pas restée célibataire toute ma vie pour me faire appeler « madame » par une sor- cièrette de ton espèce !

– Une sorcière ou une sor-ciè-rette ? Faudrait savoir ! rétorque Marika tout en repoussant un chat jaune

Une famille treize étrange

au regard mauvais qui vient de lui sauter sur l'épaule.

– « Faudrait savoir ! » grimace Dolorès avec rage. Je te déconseille de faire l'insolente, Marika Pibol ! Et de faire l'innocente, aussi ! Tu n'as pas écrit une lettre au professeur Globule, peut-être ? Le sorcier diplômé de niveau international qui habitait ici même, au treizième étage du n° 13 de la rue du Rat-qui-tremble ? Hein ?

– C'est-à-dire... euh... je lui ai écrit, en effet, mais disons que... je ne le connaissais pas personnellement...

– « Pas personnellement »! Voyez-vous ça ! Mais ta grand-mère et moi, on le connaît personnellement, figure-toi ! Moi, ça faisait vingt ans que je m'occupais de son repassage, de son ménage et de son dépoussiérage ! Et

Et Chat Continue

maintenant ? Tu le reconnais ? C'est lequel ? Le gris ? Le noir ? Le roux ? L'angora ? Où est-il ? Et madame Thérèse ? Où est-elle, hein ? Sous le piano ? Dans le panier à linge sale ? Derrière les toilettes ? Ils sont trente-trois ! Trente-trois chats ! Deux de trop ! Alors, on fait quoi ?

– Vous voulez dire que… que… que… sans le faire exprès, j'ai transformé ma grand-mère et le professeur Globule en chats ? demande Marika, hébétée.

– T'es bête ou quoi ? Évidemment que c'est ce que je veux dire ! L'accident s'est produit en deux temps, apparemment. Le professeur y est passé le premier. Ta grand-mère a juste eu le temps de comprendre ce qui se passait, de m'appeler, et hop ! à mon arrivée, je l'ai trouvée « enchatifiée » à son tour ! Les seuls indices auxquels j'ai pu me raccrocher sont la lettre et le cadeau qu'elle avait préparés pour tes parents et toi.

Marika sent sa tête lui tourner. Ses idées s'embrouillent. Elle ne parvient qu'à bafouiller :

– Mais, mais... j'ai juste essayé d'annuler un sort, c'est tout !

– Essayé ? croasse Dolorès. Essayer est le bon verbe, petite sotte ! Car tu n'as certainement pas réussi ! De quelle formule t'es-tu servie ?

Marika se concentre quelques instants, puis elle murmure :

– Heu... J'en ai récité plusieurs. Je... je ne sais plus très bien ! Je les avais apprises par cœur, il y a longtemps, dans un livre, un vieux bouquin qui était chez mon oncle Albert...

Et Chat Continue

– Tiens donc ! J'aimerais bien que tu me les montres, ces formules !

Tout en râlant, la vieille dame se dirige vers la bibliothèque du sorcier et en sort un livre jauni, recouvert de vieux plastique et d'une étiquette sur laquelle Marika parvient à déchiffrer :

LA CUISINE DE TANTE BOBINE

– Vous... vous allez préparer quelque chose à manger ? demande timidement Marika, qui, malgré le tour dramatique des événements, se sent une nette petite faim.

– Quelle gourde ! ricane Dolorès. Tu ne crois quand même pas que le grand professeur Globule est assez bête pour marquer « formules » sur la couverture de son livre de formules ? Réfléchis un peu dans ta petite caboche, Marika Pibol !

Marika n'a pas besoin de réfléchir longtemps :

Une famille treize étrange

– Mais, alors, vous voulez dire que le livre que vous avez entre les mains, ce serait...

– Eh oui, ce sont LES FORMULES DU PRO-FESSEUR GLOBULE, l'exemplaire original, écrit de la main du Maître ! Et moi, je n'y ai rien trouvé pour déchatifier un chat !

Marika ne peut réprimer un sourire :

– Euh... je peux voir ?

– Vas-y, lance Dolorès en lui tendant le livre. À toi de réparer tes boulettes !

Marika ouvre le volume, le cœur battant. Depuis le temps qu'elle rêve de retrouver ce livre tant désiré, le moment est enfin arrivé ! Elle tourne les pages, fascinée, enchantée, émerveillée par toutes les formules qui s'étalent sous ses yeux. Elle les déchiffre une à une, en silence, et soudain elle ne peut se retenir d'en prononcer une à haute voix, la treizième : GLOCHRAMETDUK.

7
In « Croa »yaBle !

Aussitôt, un bruit de tonnerre retentit, et un phénomène incroyable (mais vrai) se produit : des grenouilles, des dizaines de grenouilles s'abattent en pluie sur le salon du professeur Globule...

Une famille treize étrange

– Ouaaahhh ! Génial ! s'écrie Marika.

– Maman ! C'est de pire en pire ! hurle la vieille Dolorès.

Les batraciens sautent partout. Ils semblent ravis et enchantés. Ils ont tort : le commando des chats, en effet, ne tarde pas à les prendre en chasse, traquant les malheureuses petites bêtes dans les moindres recoins en se pourléchant les babines… Dolorès est au bord de la crise de nerfs.

– Qu'est-ce qu'on peut faire ? Mais qu'est-ce qu'on peut faire ? pleurniche-t-elle en regardant une grenouille se laisser croquer par un chat angora au regard gourmand, alors qu'un chat de gouttière gris vient d'en avaler deux d'un coup…

In«Croa»yaBle !

– Stooooop, bande de chatni-
bales ! crie Marika sans se laisser
impressionner. Si j'essayais une
autre formule, juste pour voir
ce que ça fait ? propose-t-elle
malicieusement.

En un éclair, Dolorès lui arrache le
livre des mains :

– Ah non ! Surtout pas ! Ça suf-
fit comme ça !

La vieille dame se cache les yeux
pour échapper au spectacle d'un chat siamois
en train de faire des confettis de
grenouille sur le tapis, au pied
du canapé...

– Arrêtez de vous
lamenter, Dolorès. Ce n'est
pas ça qui va nous aider !
observe Marika.

– Nous aider ? Et qui pourrait nous aider à « déchatifier » ce pauvre professeur et sa chère-chère Thérèse ? se lamente Dolorès.

– Pourquoi sa « chère-chère » Thérèse ? Qu'est-ce que vous entendez par là ?

– Te serait-il possible de te mêler de tes OIGNONS, une fois dans ta vie, Marika Pibol ? s'énerve Dolorès, dont les joues commencent à rougir.

– En tout cas, votre professeur ne se gêne pas pour croquer des grenouilles sous votre nez, et ma chère-chère grand-mère non plus, à ce qu'on dirait !

– Oh ! s'exclame Dolorès, choquée. Le professeur Globule et madame Thérèse, manger des grenouilles ? Quelle horreur !

– Ben quoi ? Ils en ont forcément mangé ! TOUS les chats ici présents en ont mangé ! Je les ai bien regardés se goinfrer depuis une demi-heure !

In « Croa » yaBle !

– Un peu de respect, s'il te plaît ! Et si ta grand-mère et le professeur t'entendaient ?

– Mais oui, au fait ! Ils nous entendent peut-être ! lance Marika, pleine d'espoir.

Elle se dirige aussitôt vers les chats :

– Hé ! Professeur Globule ! Helmut ! Mémé ! Vous êtes là ? Vous captez ? Minou minou... Globule... Thérèse... Helmut...

8
Tout finit treize Bien

C'est alors qu'un chat jaune se dirige vers Marika, battant des paupières et sifflant tel un roseau sous la tempête. Un bout de patte de grenouille pendouille, coincé parmi les poils de son museau.

– Ne t'approche pas, sale bête ! lance Dolorès, franchement horrifiée.

Marika lui pince le bras :

– Taisez-vous, voyons ! C'est peut-être le professeur qui répond à mon appel ! Alors, minou, c'est toi, Helmut ? poursuit la fillette en caressant l'affreux matou.

D'un bond, le chat lui saute sur les genoux, puis, de ses griffes acérées, il s'attaque à son pantalon.

Tout finit treize Bien

– Aïe ! Ouille ! Qu'est-ce que c'est que ces manières ?

– Ksssss ! chuinte l'animal, qui semble chercher à glisser sa patte dans la poche de Marika.

– Hé, ho ! Bas les pattes ! proteste celle-ci, juste avant de se souvenir que, dans cette même poche, elle a glissé...

– La lettre ! La formule !

Dolorès sursaute :

– Quelle lettre ? Quelle formule ?

– Celle du professeur, celle que j'ai répétée trois fois dans ma chambre et qui m'a transformée en vieille...

Marika s'arrête juste avant de dire le nom de Dolorès.

– En vieille quoi ? s'enquiert Dolorès.

– Non, non, rien ! Mais pourquoi voudrait-il que je me resserve de cette formule ? Il ne veut tout de même pas se transformer en affreuse...

Une famille treize étrange

– En affreuse quoi ? interroge Dolorès.

– Heu... non, non, rien ! Je pense juste à haute voix ! rétorque la jeune fille.

Elle déplie la lettre et y redécouvre, griffonnées en bas de page, les quatre formules qu'elle a récitées...

– Ça y est, j'ai compris ! Ce sont MES formules qui l'intéressent ! GLODZTRIFMTCH ! GLOP-FUMDZAKTR ! GLOMKIDRATUBZ ! GLOKRA-LUIXMUT ! scande Marika de toute sa voix en fixant le chat jaune bien droit dans les yeux.

– Qu'est-ce que tu baragouines ? Tais-toi ! s'af-fole Dolorès. Tu ne trouves pas que tu as déjà fait assez de dégâts comme ça ?

Le chat, en entendant Marika, est pris d'étranges symptômes. La tête en bas, la queue en point d'interroga-tion, il produit des sons inouïs :

Tout finit treize Bien

– Uoaaaim... Uoaaaim...

– Qu'est-ce qui lui prend ? demande Dolorès.

– On dirait qu'il miaule à l'envers..., observe Marika. Je crois que j'ai compris ce qu'il veut que je fasse !

Aussitôt, la jeune fille prononce ses quatre selumrof, pardon, ses quatre formules à l'envers :

– TUMXIULARKOLG ! ZBUTARDIKMOLG ! RTKAZDMUFPOLG ! HCTMFIRTZDOLG !

Une famille treize étrange

L'effet est instantané. Un nuage de fumée jaunâtre apparaît, et le chat se jette sur un fauteuil en se tortillant comme un ver coupé...

– Qu... que se passe-t-il, maintenant ? bafouille Dolorès.

Marika n'a pas le temps de répondre. Le nuage de fumée disparaît, comme aspiré par le plafond, et un monsieur normal, avec des lunettes normales, des chaussettes et des chaussures normales, apparaît à sa place.

– Alors, mesdemoiselles, ça gaze ? lance-t-il finement en fixant Marika et Dolorès.

– Maître ! C'est bien vous ? s'écrie la vieille dame, tremblante.

– Eh oui, chat est bien moi ! pouffe l'homme.

Dolorès veut s'approcher du sorcier, mais a un mouvement de recul lorsqu'elle découvre, accroché à sa moustache, un bout de patte de grenouille qui pendouille...

– Attention, Maître... Vous... vous avez une...

– Oui, oui ! l'interrompt Helmut. Ne vous laissez pas impressionner, Dolorès ! La vie féline a un certain piquant, et j'avoue que je me suis bien amusé à me faire les griffes sur cette bande de grenouilles tombées du ciel. Mais il y a un temps pour tout, et à présent c'est du passé !

Il se lève et vient poser la main sur l'épaule de Marika.

– Tu as des dispositions, petite : tu comprends vite, et tu n'as pas froid aux yeux ! J'aime ça ! Remarque, avec une grand-mère comme la tienne, cela n'a rien d'étonnant... C'est vraiment dommage que ton oncle nous ait quittés et que ton père ait décidé d'abandonner le métier.

– Vous voulez dire que j'appartiens à une famille de sorc...

Une famille treize étrange

– Chut ! Ne prononce jamais ce mot-là ! Si ta mère t'entendait, elle nous ferait encore les pires ennuis, comme elle en a fait à ton pauvre papa ! Faut-il qu'il l'aime pour accepter une vie si triste et sans magie ! Mais oublions tout ça. Je dois t'avouer que tu es treize impressionnante : personnellement, je n'ai jamais pu venir à bout de la transformation en chat, c'est la seule qui m'ait toujours résisté... Alors que toi, tu l'as réussie du premier coup, à l'instinct. Respect et chapeau bas ! La relève est assurée. C'est ta grand-mère qui va être surprise et treize émue. Elle qui pensait que tu tenais de ta mère ! Tiens, au fait, où est donc passée cette chère Thérèse ?

Marika tapote sur l'épaule du professeur d'un air docte :

– Voyons, Helmut, un peu de logique : si mémé s'est enchatifiée après vous, il est normal qu'elle se déchatifie après vous également !

Tout finit treize Bien

– Oui, bon, ne sois pas trop sûre de toi quand même, gamine ! avertit le sorcier, légèrement vexé. Tu as eu de la chance, la chance des débutants, mais il va y avoir du travail, beaucoup de travail. On n'aura pas trop de deux fois treize jours pour parfaire ta formation...

– Vous voulez dire que je vais passer les vacances ici à me former en sorc... ? laisse échapper Marika, les yeux brillants d'excitation.

Elle ne va pas plus loin. Un nuage de fumée grisâtre lui coupe la parole, tandis qu'une chatte grise bondit à son tour sur le fauteuil, saisie de convulsions. Lorsque le nuage disparaît, comme aspiré par le plafond, une grand-mère au nez pointu, coiffée d'un chignon touffu et vêtue d'une robe biscornue, apparaît à sa place.

– Mémé Thérèse ! s'exclame Marika, émue, se précipitant pour prendre sa grand-mère dans ses bras.

Une famille treize étrange

– Arrête ton cinéma, Marika ! réplique l'aïeule sèchement. Quand je pense que tu as voulu me transformer en chauve-souris plutôt que de partir en vacances en ma compagnie ! Tu crois que ça m'amuse, moi, de t'emmener patauger dans le sable en suçant des glaces à l'eau alors que je pourrais rester ici à déguster des escargots en amoureux avec mon Helmut ? Tu as vu, d'ailleurs,

Tout finit treize Bien

le coup de la chauve-souris, comment je vous l'ai resservie froide et empaillée, ta chère maman a dû adorer ! ajoute-t-elle en lui pinçant le nez.

– Allons, allons, nous reparlerons de tout cela à tête reposée, annonce le professeur Globule. Ces vacances, nous allons les passer tous les trois, et elles vont être treize intéressantes ! Nous partirons dès demain matin sur l'île de Pipistrelli pour étudier les chauves-souris... entre autres choses ! Je te rappelle, mon treize or, ajoute-t-il en se tournant vers Mémé, que seule ta famille a juré de ne jamais lui parler de magie. Et moi... je ne suis pas encore de la famille !

Marika sourit, aux anges. Cette année, les vacances s'annoncent diablement bien.

Dolorès lève le doigt, timide :

– Et... moi, je viens aussi ?

– Non, Dolorès ! Vous restez ici pour les chats, c'est treize indispensable ! décide le professeur.

Une famille treize étrange

Mais pour vous remercier de votre courageuse intervention...

Il s'approche d'elle et dépose deux gros baisers sur ses joues, qui aussitôt deviennent rouge pivoine.

– Heu... Je crois que je vais mettre un peu d'ordre, fait Dolorès en se précipitant dans le placard à balais.

Helmut éclate d'un rire qui fait se dresser les poils de chacun de ses trente et un félins.

– Eh bien, en route, mesdames ! Et n'oubliez pas vos mouchoirs, c'est treize important ! Car, quand les chauves sourient, les chevelus pleurent !

– Quel humour, Helmut chéri ! conclut Thérèse avec un sourire enjôleur. Vous êtes vraiment l'empereur de la formule ! Et treize amusant !

Tout finit treize Bien

DLiRe, c'est chaque mois :

✳ **Un roman inédit, illustré et toujours différent**

✳ **30 pages de BD, de jeux et d'énigmes**

✳ **Ciné, actu, BD... les lecteurs donnent leur avis !**

Viens feuilleter **DLiRe** sur www.dlire.com

DLiRe est en vente chaque mois
chez ton marchand de journaux ou par abonnement
au **0825 825 830** (0,15 €/mn).

Dans la même collection

La loi du plus fort

Défi d'enfer

La honte de Takao

Train de nuit

Simon, l'ami de l'ombre

L'équipe des bras cassés

Achevé d'imprimé en février 2007 par Oberthur Graphique
35000 Rennes - N° Impression: 7599
Imprimé en France